Sur la piste des

FANTÔMES

KENNETH OPPEL

Sur la piste des FANTÔMES

Kenneth Oppel
Illustrations de Sam Sisco

Les éditions Scholastic

Catalogage avant publication de la
Bibliothèque nationale du Canada

Oppel, Kenneth
[Bad case of ghosts. Français]

Sur la piste des fantômes / Kenneth Oppel ;
illustrations de Sam Sisco ; texte français
de Nathalie M.-C. Laverroux.

(Sur la piste--)
Traduction de: A bad case of ghosts.
ISBN 0-439-97010-5

I. Sisco, Sam II. Laverroux, Nathalie III. Titre. IV. Titre:
Bad case of ghosts. Français. V. Collection.

PS8579.P64B3314 2003   jC813'.54   C2003-901561-0
PZ23

Pour Lloyd

Chapitre 1

Des bruits inquiétants

DÉCIDÉMENT, GILLES ne parvient pas à dormir!

Il s'assoit dans son lit et, serrant son oreiller contre lui, scrute la pénombre de sa chambre presque vide. Le camion de déménagement étant arrivé très tard, ses affaires ne sont pas encore déballées. À part son lit, seuls des boîtes de carton et quelques meubles sont posés çà et là. À travers la fenêtre obscure, une pâle clarté venant de la rue projette sur les murs nus des ombres bizarres en forme de dinosaures.

Gilles n'aime pas sa nouvelle maison. Au premier coup d'œil, il l'a trouvée sombre et triste : des morceaux de plâtre se détachent du plafond, le papier peint est décoloré, les portes semblent sortir de leurs gonds tordus. Sans parler des planchers

pleins d'échardes qui n'arrêtent pas de grincer!
Et cette drôle d'odeur qui lui rappelle la cave peu
accueillante de sa grand-mère.

— C'est une superbe vieille maison! s'est
exclamé son père à leur arrivée. Elle est restée
fermée trop longtemps, c'est tout! Elle a juste
besoin d'une bonne aération et de quelques petits
travaux.

— De pas mal de travaux! a corrigé Mme Barnes
en lui montrant une poignée de porte qui lui est
restée dans la main.

« J'aimerais être encore dans notre ancienne
maison », grommelle Gilles dans son lit.

Il a dit au revoir à Jim et à David, ses meilleurs
amis, et maintenant, il doit passer tout l'été dans
cette nouvelle ville où il ne connaît personne! Il ne
comprend pas pourquoi ils ont dû déménager. Leur
ancienne maison faisait parfaitement l'affaire. Elle
était bien mieux que cette vieille baraque.

« D'ailleurs, se dit Gilles, ça ne m'étonnerait
pas que cette antiquité s'écroule avant la fin
de la semaine! »

Une ombre en forme de tricératops balaie le
mur. Gilles frissonne.

« C'est juste une voiture qui passe dans la rue,
se dit-il pour se rassurer. Tu as trop d'imagination! »

C'est ce que sa mère lui reproche toujours...
Mais un grincement inattendu le fait tressaillir.

« C'est le parquet! reprend-il en essayant de
prendre le même ton raisonnable que sa mère.
Les vieilles maisons font un tas de bruits bizarres...
il n'y a pas de quoi avoir peur! »

Pourtant, quand le radiateur se met à cliqueter,
Gilles fait un bond.

— C'est ridicule de s'inquiéter! s'exclame-t-il.
Je vais dormir maintenant!

Il vient à peine de fermer les yeux lorsqu'il
entend un bruissement étrange. Il se redresse, les
yeux écarquillés. Le bruit vient du coin, près de la
fenêtre. Non, plutôt près de la porte... Mais non, ça
vient du plafond, et maintenant, c'est sur la droite,
près du lit! Ce bruit curieux, comme un froissement
d'ailes, semble se déplacer!

C'en est trop! Gilles commence à en avoir assez
de ces ombres rampantes et de ces chuchotements
bizarres! Il saute de son lit et allume la lumière.
Finis, les bruits étranges! Évanouies, les silhouettes
monstrueuses! Sa mère a bien raison : « Allume la
lumière, dit-elle toujours, et tu verras que tout est
normal. » Il inspecte attentivement la pièce; puis
il éteint de nouveau, plonge dans son lit et tire
les couvertures sur sa tête.

Il y a encore quelques craquements, mais il

décide de ne plus y faire attention. De toute façon, il a trop sommeil. Quelques instants plus tard, il dort profondément.

Chapitre 2

Les Quark

LE LENDEMAIN MATIN, Gilles commence à déballer ses affaires. Il place d'abord sa table de travail et ses étagères. C'est déjà mieux comme ça. Il a un peu plus l'impression d'être chez lui. Il ne raffole pas du papier peint, avec ses feuilles de vigne et de lierre à moitié effacées, mais il peut arranger ça en collant ses affiches préférées.

La fenêtre est tellement sale qu'il ne voit presque rien au travers. Il demande un chiffon à son père et entreprend de la nettoyer. C'est un jour d'été ensoleillé et la rue est pleine de monde. Un homme âgé, penché sur une marchette, passe lentement devant leur maison.

De l'autre côté de la rue, Gilles aperçoit un petit parc. Il plisse les paupières. Quelle scène étrange!

Un garçon et une fille sont perchés sur la tour d'escalade du parc. Mais ce n'est pas ça qui est étrange. C'est ce qu'ils portent. Ils ont tous deux des écouteurs énormes sur les oreilles, branchés sur une sorte de boîte suspendue au cou de la fille. Et ils sont en train d'observer sa maison!

Soudain, la fille tripote quelques boutons sur son engin et fait un signe au garçon. Ils sautent aussitôt de leur perchoir, traversent la rue et se plantent sur le trottoir, devant la maison de Gilles.

Maintenant, il les voit nettement. Ils doivent être à peu près du même âge que lui. La fille, très menue, agite ses petites mains fines; sa peau est très pâle et deux tresses blondes impeccables se balancent de chaque côté de son visage. Le garçon a des cheveux roux très frisés et les joues parsemées de taches de rousseur.

Mais qu'est-ce qu'ils font avec cet appareil?

La fille parle au garçon, qui évidemment ne peut pas l'entendre. D'un doigt, elle lui donne des petits coups sur la tête pour attirer son attention. Ils ont une courte conversation.

Puis, sous le regard ébahi de Gilles, ils ouvrent sans hésiter la barrière et entrent dans le jardin! Ils s'arrêtent pour écouter de nouveau dans leur engin et la fille se met à écrire dans un calepin. Mais qu'est-ce qu'ils sont en train de faire?

Incapable de maîtriser sa curiosité plus longtemps, Gilles descend l'escalier, ouvre la porte d'entrée et sort. Mais le garçon et la fille ne font pas attention à lui.

— Allô! dit-il d'une voix hésitante.

Pas de réponse.

— Allô! fait-il plus fort.

Les deux enfants sursautent et arrachent leurs écouteurs.

— Salut! dit le garçon aux cheveux roux. Est-ce que tu habites ici?

— On vient juste d'emménager, répond Gilles.

Ils ont l'air étonnés.

— Oh! on croyait que c'était encore vide! dit le garçon. Je m'appelle Kevin Quark, et voici ma sœur aînée, Tina. Nous sommes des génies.

Gilles cligne des yeux.

— Kevin, dit la fille, tais-toi!

— Quoi, c'est vrai, non?

— Bien sûr, mais ce ne sont pas des choses à raconter à quelqu'un que tu vois pour la toute première fois!

Kevin fait un joyeux sourire.

— Bon, reprend-il, es-tu un génie, toi aussi?

— Je ne me suis jamais posé la question, répond Gilles, surpris.

— En général, tu t'en rends compte tout de suite, explique Kevin. Par exemple, si tu peux nommer toutes les capitales d'Europe, ou si tu as dix sur dix à tous les tests que tu fais en classe, ou encore si tu peux réciter par cœur la table de treize! Ce sont quelques-uns des premiers signes!

Gilles en a le souffle coupé.

— On a compté les briques de notre maison, poursuit Kevin, et calculé le débit d'eau qui s'en va tous les jours par les toilettes. Il nous arrive aussi de faire des inventions. Tina est fantastique pour ça. Elle connaît toutes les formules de chimie et elle est très calée en électricité. Si elle met du liquide dans une éprouvette, elle peut le faire devenir bleu et le faire exploser. Elle est même capable de faire jaillir des étincelles entre deux baguettes métalliques!

Tina, silencieuse, sourit.

— Évidemment, comparé à tout ça, je ne me sens pas l'étoffe d'un génie! admet Gilles.

— Bon, ce n'est pas grave! déclare gentiment Kevin. Je ne suis moi-même qu'un génie en herbe. Le vrai génie, le cerveau, c'est Tina. C'est elle qui a inventé le détecteur de fantômes!

Tina lui donne un coup de coude dans les côtes.

— Ouille! crie Kevin. Pourquoi as-tu fait ça?

— Parce que tu as parlé du détecteur de fantômes!

— Du quoi? demande Gilles.

— Je détecte les fantômes, répond Tina en soupirant.

Gilles observe l'engin suspendu au cou de Tina. Ça ressemble à un grille-pain sur lequel on a fixé un tas d'interrupteurs et de boutons.

— Avec ce truc-là? Tu veux rire?

— Je suis très sérieuse, réplique Tina. Bon, je reconnais qu'il n'est pas encore tout à fait au point. Mais je dois te dire que nous avons capté des choses intéressantes venant de ta maison.

— Ah oui? s'étonne Kevin.

Tina roule des yeux.

— Mais oui, Kevin. Tu n'as rien entendu?

— Oh, tu sais moi, tous ces bip et ces blurp...

— C'étaient des sons très nets! réplique Tina, exaspérée.

— Une fois, déjà, on avait capté des sons très nets. C'était le chien de Tom, rappelle poliment Kevin.

Tina devient rouge.

— Oui, mais c'était au début. Maintenant, l'appareil fonctionne beaucoup mieux.

— Attendez! intervient Gilles. Vous voulez dire que ma maison est hantée?

— C'est possible, dit Tina gravement.

— Je ne crois pas aux fantômes, déclare Gilles en s'efforçant de prendre le même ton que sa mère.

— Tu n'as rien vu de mystérieux ou d'effrayant dans la maison, quelque chose qui t'aurait donné la chair de poule? demande Kevin.

— Non! répond Gilles vivement. Rien du tout!

Toutefois, il ne peut pas s'empêcher de penser aux bruits bizarres qu'il a entendus dans sa chambre, la nuit précédente. Mais ce n'était que son imagination! Cela n'avait strictement rien à voir avec des fantômes!

— Cette maison est restée vide pendant des années, reprend Kevin impatiemment. Je parie qu'elle est hantée! On dit qu'elle a été habitée par une vieille folle qui ne sortait jamais. Je suis sûr qu'il y a des fantômes qui apparaissent dans tous les coins!

— Kevin, s'il te plaît! soupire sa sœur d'une voix lasse, tout ça n'a rien de scientifique! Nous n'avons encore aucune preuve!

Gilles jette un coup d'œil à sa maison. Maintenant qu'il y pense, il lui trouve un petit air de maison hantée. Il sent un frisson lui parcourir la nuque. Une vieille folle a-t-elle réellement vécu là? Les fantômes existent-ils vraiment?

— Bon, dit Tina, maintenant, nous devons travailler avec le détecteur.

— Et s'il se passe quelque chose d'étrange, poursuit Kevin, plein d'espoir, appelle-nous, nous viendrons. Voici notre carte.

— Au revoir! dit Gilles, légèrement dépassé.

Il regarde la carte que Kevin lui a mise dans la main et lit :

Tina et Kevin Quark

Les génies du quartier

Consultation sur simple demande

Tarifs raisonnables

— C'est la première fois que je rencontre des génies... marmonne Gilles en rentrant chez lui.

Chapitre 3

Une maison hantée

— J'AI RENCONTRÉ UN GARÇON et une fille qui m'ont dit que notre maison est hantée! annonce Gilles pendant le dîner.

— Les fantômes n'existent pas, lui répond Mme Barnes en souriant.

La mère de Gilles enseigne les mathématiques à l'université. Elle aime les chiffres, les longues équations, en un mot, tout ce que l'on peut résoudre sur le papier. Elle ne croit pas aux fantômes.

— Tante Lilianne y croit! fait remarquer Gilles.

— Oui, dit sa mère, mais tante Lilianne croit à des choses plutôt bizarres.

Peu importe ce que dit sa mère, Gilles aime tante Lilianne. Elle s'habille comme une gitane avec de grandes écharpes et des bandeaux dans les cheveux, et elle se maquille trop. Elle raconte toujours des histoires de fantômes quand elle vient les voir.

— Et toi, papa, est-ce que tu y crois?

— Eh bien, je n'en suis pas tout à fait sûr, répond son père. Ce qui est certain, c'est que je n'en ai encore jamais rencontré.

— Tu vois? dit Mme Barnes. En fait, personne n'en a jamais vu! C'est parce qu'ils ne sont pas réels!

— Mais il y a un tas de choses que nous ne voyons pas et qui sont pourtant bien réelles! proteste Gilles.

— Quoi, par exemple? demande sa mère.

— Eh bien... Les atomes!

— Ah oui, mais ça, c'est différent, réplique-t-elle. C'est de la science!

— Le garçon et la fille ont dit qu'une folle habitait ici avant, dit Gilles.

— Quelle absurdité! s'écrie Mme Barnes.

— Tu n'aimes pas cette maison, Gilles? demande M. Barnes.

— Elle me fait un peu peur... répond Gilles.

— C'est une vieille bâtisse, tout simplement, reprend M. Barnes. Une fois que nous l'aurons rafraîchie, tu ne la trouveras pas si mal.

Son père a raison! Au bout de quelques jours, Gilles a presque oublié les Quark et leurs histoires de fantômes et de vieille folle. La maison devient de plus en plus attrayante au fur et à mesure que ses parents la repeignent, disposent les meubles, installent des plantes vertes et accrochent des tableaux au mur. M. Barnes donne même un bon coup de peinture sur les murs extérieurs et il promet à son fils de remplacer le papier peint de sa chambre.

« Cette maison n'est pas mal, après tout! » se dit Gilles. Il est dans sa chambre, en train de construire une maquette d'avion. Le soleil et les parfums de l'été entrent à flots par la fenêtre. Il s'apprête à coller un élément de la maquette à un endroit particulièrement délicat lorsqu'il entend...

Il pose son avion et écoute. Il l'entend de nouveau, un peu plus fort cette fois-ci. Le même bruissement léger qu'au cours de la première nuit! Il retient son souffle et tend l'oreille. On dirait un oiseau qui bat des ailes. Mais c'est impossible...

Comme il fait grand jour, il n'a pas peur du tout. Il est plutôt curieux de découvrir ce qui se passe. Il se lève, avance la tête par la fenêtre et regarde sous l'avant-toit. Dans son ancienne maison, des oiseaux avaient fait leur nid à cet endroit et il les entendait voleter. Mais ici, il n'y a rien à voir, pas plus d'oiseaux que de nids!

Gilles rentre la tête.

À l'intérieur, le bruit persiste. C'est vraiment bizarre! Et le son se déplace! On dirait qu'un oiseau monte en flèche dans un coin de la chambre, puis redescend en piqué dans l'autre. Mais Gilles ne voit toujours rien!

Il commence à se sentir nerveux... surtout qu'il est seul dans la maison. Ses parents sont partis en ville acheter des rideaux et ils ne seront pas de retour avant une bonne heure.

« Du calme! se dit Gilles. Il y a sûrement une explication tout à fait rationnelle! Qu'est-ce que maman ferait si elle était là? »

C'est alors qu'il entend :

— Allô!

Il sent ses cheveux se dresser sur sa tête, comme sous l'effet d'une décharge électrique. C'est une voix de femme, qui vient juste de derrière son oreille! Mais il n'y a toujours rien à voir!

— Allô, allô!

Aucun doute n'est plus possible! Affolé, Gilles se précipite vers le tiroir de son bureau. Il en sort la carte que Kevin Quark lui a donnée. Puis il claque la porte de sa chambre derrière lui, descend l'escalier à toute vitesse et se précipite sur le téléphone. Il compose le numéro d'un doigt tremblant.

— Tina et Kevin Quark, les génies du quartier, à votre service!

— Kevin! s'écrie Gilles en reconnaissant la voix au bout du fil. C'est Gilles Barnes! Il faut que vous veniez tout de suite, il y a des fantômes dans ma chambre!

Chapitre 4

Sur la piste des fantômes

— J'AI MODIFIÉ le détecteur de fantômes, déclare Tina. Je crois l'avoir perfectionné.

— Elle a travaillé toute la nuit! explique Kevin, très fier. Il a fallu qu'elle démonte la chaîne stéréo pour prendre des pièces...

— Maman et papa ne le savent pas encore! dit Tina.

— Oh oui, ils le savent! réplique Kevin. Maman a voulu écouter un disque des Beatles. Il faisait un bruit de crécelle!

— Je ne pouvais pas faire autrement, réplique Tina. C'est trop important.

— Bon, j'espère que vous allez comprendre ce

qui se passe ici, dit Gilles qui les a attendus dans le jardin. J'ai eu une de ces peurs! Il y a de quoi devenir fou!

— Super! dit Kevin. Il y a vraiment des fantômes!

— Tais-toi, Kevin, le coupe Tina. Maintenant, Gilles, dis-moi où tu les as vus.

— C'est que... je ne les ai pas vraiment vus, répond Gilles. Je les ai entendus... C'était bizarre, comme un bruit d'ailes. Et après, une voix de femme a fait : « Allô! »

— Allô? répète Kevin. C'est tout?

— Oui.

— Oh, dit Kevin, déçu. Ça me paraît bien peu fantomatique. Il n'y avait pas de squelettes? Pas de corps sans tête? Pas de sang?

— Où as-tu entendu ces bruits? interrompt Tina en foudroyant son frère du regard.

— Dans ma chambre.

Gilles leur explique qu'il a entendu le même genre de bruit lors de sa première nuit dans la maison.

— Commençons nos recherches par là! décide Tina.

En haut de l'escalier, ils écoutent attentivement, sans bouger.

— Je n'entends rien, dit Kevin. Tu es sûr que tu n'as pas inventé tout ça?

— Bien sûr que non! proteste Gilles. C'était très clair! Ce n'est pas ma faute si ça s'est arrêté!

— Je vais faire un essai avec le détecteur de fantômes, dit Tina d'un ton important.

Elle met les écouteurs sur ses oreilles et tourne quelques boutons. Elle écoute attentivement pendant une minute en faisant de petits bruits :

— Aaaah... Hmmm... Ah, ah... Ooooh...

Puis elle ôte ses écouteurs et écrit dans son calepin.

— Alors? demande Gilles.

— Très intéressant!

— Bon, vas-tu nous raconter ce qui se passe? s'impatiente Kevin.

— Non.

— Pourquoi? reprend Gilles qui commence, lui aussi, à s'énerver.

— J'ai besoin d'avoir plus d'informations, dit Tina. Ce ne serait pas professionnel de faire une analyse à ce stade-là.

Tina replace les écouteurs sur ses oreilles et marche lentement autour de la pièce.

— Elle est terriblement sérieuse, murmure Gilles à Kevin.

— C'est normal, c'est un génie! murmure Kevin à son tour. Son travail l'exige. Moi aussi, ça m'arrive de temps en temps. Mais comme je ne suis qu'une graine de génie, je n'ai pas besoin d'être sérieux aussi souvent qu'elle.

— Je continue à trouver que cette chose ressemble à un grille-pain, marmonne Gilles en indiquant le détecteur de fantômes d'un signe de tête. Je parie qu'il ne marche même pas.

— Fascinant! observe Tina à voix basse, en prenant des notes.

— Est-ce qu'on peut écouter, maintenant? demande Kevin.

— Non!

— Pourquoi pas? s'étonne Gilles.

Mais Tina ne répond pas. On dirait qu'elle est en transe. Enfin, elle retire les écouteurs et, sans dire un mot, les tend à Kevin et à Gilles. Ils rapprochent leurs têtes et écoutent attentivement.

Gilles reste pétrifié. Cette fois, il n'entend plus simplement des battements d'ailes, mais toute une symphonie de pépiements, de sifflements, de roucoulements, de gloussements, de hululements et de gazouillis! C'est assourdissant! Pour faire un vacarme pareil, il doit bien y avoir des dizaines d'oiseaux!

Gilles arrache les écouteurs.

— Oh là là! lance Kevin.

— Tu crois que tout ça vient de ma chambre? demande Gilles à Tina.

Silencieuse, elle est assise sur le bord du lit, les mains soigneusement croisées sur ses genoux.

— Crois-tu aux fantômes? demande-t-elle.

— Je... je ne sais pas, balbutie Gilles. Ma mère dit qu'ils n'existent pas. Mais ma tante Lilianne, elle, y croit. Elle dit que...

— Ta chambre est hantée, Gilles, dit Tina simplement. Les bruits captés sur mon récepteur ne laissent aucun doute. Ta chambre est pleine de fantômes, c'est un cas sérieux! C'est le pire cas de fantômes que j'ai jamais vu!

— C'est aussi le seul cas de fantômes que j'ai jamais vu, ajoute Kevin.

— Mais personne n'a jamais entendu parler de fantômes d'oiseaux! s'étonne Gilles. Je veux dire...

Il s'arrête net. Son regard se fixe sur un point qu'il montre du doigt.

Dans le coin le plus éloigné de sa chambre, tout en haut de ses rayons de livres, trône un grand perroquet. Mais il n'est pas réel. Il miroite, comme un mirage. C'est un scintillement argenté. On dirait que quelqu'un l'a dessiné dans l'air avec des brillants. Il se pavane d'un bout à l'autre d'une étagère, passant à travers les maquettes d'avion.

24

Gilles regarde Tina pour s'assurer qu'elle le voit bien, elle aussi. Cela ne fait aucun doute : elle le fixe avec des yeux tout ronds. Kevin le voit aussi. Il est figé, la bouche grande ouverte. Mais aucun son n'en sort...

— C'est le fantôme d'un oiseau! dit Gilles.

— D'un perroquet, plus précisément, dit Tina.

— Allô! dit le perroquet d'une voix de femme.

— Allô! s'exclame Tina. Voilà qui explique la voix que tu as entendue!

Tout à coup, avant que Gilles ait le temps de parler, la chambre entière est remplie d'oiseaux-fantômes, tous blancs et brillants. Certains volent ou se perchent sur les meubles, dont le bois crisse sous leurs pattes; d'autres marchent fièrement sur le rebord de la fenêtre en chantant ou en gazouillant. L'un d'eux descend en piqué vers Gilles qui baisse la tête en se protégeant de ses mains. L'oiseau-fantôme s'élève en passant à travers son corps, mais Gilles ne sent rien, sauf un picotement électrique dans sa tête.

— Je capte beaucoup plus de sons que tantôt! crie Tina par-dessus le vacarme.

— C'est fou! hurle Gilles. Ma chambre est pleine d'oiseaux-fantômes!

— Est-ce qu'on peut rentrer à la maison, maintenant? demande Kevin d'une voix tremblante.

Soudain, aussi rapidement qu'ils sont arrivés, tous les oiseaux disparaissent et la chambre de Gilles redevient comme avant. Seule plane encore une plume argentée qui descend lentement vers le sol; elle se pose un instant avant de se dissoudre dans l'air.

— C'est extraordinaire! dit Tina. Il y avait plus de cinquante spécimens!

— Tu les a vraiment comptés? demande Kevin, incrédule. Tu n'as pas eu peur?

— La peur n'a rien de scientifique, répond Tina.

— C'est ce que ma mère dirait, reprend Gilles d'un air malheureux. Qu'est-ce que je vais raconter à mes parents? Ils ne me croiront pas. Ils vont penser que je suis devenu fou!

— Il vaudrait mieux que j'aie une petite conversation avec eux, propose Tina d'un ton solennel. Moi, ils m'écouteront peut-être.

Chapitre 5

Tina mène l'enquête

— JE SUIS HEUREUSE de faire votre connaissance, monsieur et madame Barnes, dit Tina, qui les a priés de s'asseoir à la table dès leur retour à la maison.

— Merci, Tina! répond le père de Gilles.

Gilles voit que ses parents ont un sourire amusé devant l'air sérieux de cette jeune fille toute menue.

— Voilà, déclare celle-ci d'un ton solennel. Je sais que ce sera difficile à croire, mais je vous en prie, écoutez bien ce que j'ai à vous dire! Je viens d'examiner votre maison et je suis arrivée à la conclusion qu'elle est hantée!

— Je vois, répond M. Barnes sans conviction. Est-ce que quelqu'un veut boire quelque chose?

— Comment as-tu découvert ça, Tina? demande Mme Barnes.

— Avec le détecteur de fantômes, laisse échapper Kevin.

Tina lui jette un regard assassin.

— Kevin, s'il te plaît, laisse-moi expliquer!

Elle pose l'appareil sur la table pour le montrer aux parents de Gilles.

— Monsieur et madame Barnes, ceci est un détecteur de fantômes; je l'ai inventé moi-même. Il mesure l'intensité de leur activité, quelque chose qu'on ne peut pas déceler autrement.

— On dirait un grille-pain, marmonne M. Barnes.

Un commentaire que Tina fait semblant de ne pas entendre.

— Avec cet appareil, j'ai découvert une forte concentration de fantômes dans la chambre de Gilles.

— C'est vrai! dit Gilles à son père. On les a vus tous les trois quand vous étiez partis. On a vu des fantômes!

— Voyons, déclare Mme Barnes en prenant son air de professeur. Je suis moi-même une femme de science, Tina, et je peux t'affirmer que ce que tu dis là est tout à fait ridicule. Il n'y a rien de moins scientifique...

Tandis que Mme Barnes parle, Gilles voit quelque chose bouger derrière elle. L'un des oiseaux-fantômes vole dans le corridor en direction de la salle à manger. C'est le grand perroquet que Gilles a aperçu dans sa chambre!

— Heu... maman, bafouille Gilles. Il y a...

— Gilles, laisse-moi finir, s'il te plaît! Je tiens à dire que je n'ai jamais lu de rapport scientifique satisfaisant sur les fantômes!

Le perroquet vole dans la pièce, puis vient se percher sur l'épaule de Mme Barnes. Gilles le voit, Kevin et Tina aussi. Et même M. Barnes. Tous, sauf Mme Barnes, qui est trop occupée à parler.

— Heu... maman, dit Gilles encore une fois.

— Gilles, laisse-moi donc... Aaaah! crie-t-elle en voyant l'oiseau posé sur son épaule. D'où sort-il, celui-là?

— C'est ce que j'essayais de vous dire, fait doucement remarquer Tina. Vous avez un sérieux problème de fantômes. Des fantômes d'oiseaux, en fait.

Mme Barnes essaie de chasser l'animal, mais sa main passe au travers en produisant un petit crépitement.

— Eh bien, Élisabeth, dit M. Barnes à sa femme d'un air hébété, on dirait que Lilianne avait raison!

— Vous êtes en train de nous jouer un tour! s'écrie Mme Barnes. Je vous conseille d'arrêter ça tout de suite!

— Mais, maman, c'est un vrai fantôme! insiste Gilles. Il y en a des dizaines dans ma chambre! Cette maison est hantée, je te dis!

Mme Barnes tend le cou pour éloigner sa tête autant que possible de son épaule. Elle échange un long regard avec l'oiseau, qui se met à répéter :

— Allô! Allô! Allô!

— On dirait qu'il y a un perroquet sur mon épaule, murmure-t-elle pour elle-même.

— D'où peuvent-ils bien venir? demande son mari.

— C'est impossible à dire! répond Tina. Je dois faire une étude plus approfondie avant de pouvoir vous donner une réponse satisfaisante.

— Mais nous ne pouvons pas vivre avec des oiseaux-fantômes, s'écrie M. Barnes. C'est impensable! Comment s'en débarrasser?

— Encore une très bonne question, monsieur Barnes, reprend Tina. Je vous garantis qu'on va se mettre au travail tout de suite. En attendant, je ne pense pas que vous couriez le moindre danger.

— Facile à dire! dit Gilles. Ce n'est pas toi qui dors dans ma chambre! C'est un vrai aéroport là-dedans, avec tous ces oiseaux qui tourbillonnent autour de ma tête!

— Ne t'inquiète pas, nous allons trouver une solution, le rassure Kevin d'un air confiant. Après tout, nous sommes des génies!

Chapitre 6

Invasion de fantômes

— IL Y A MÊME des oiseaux dans la salle de bains, maintenant! fulmine Mme Barnes.

— Essaie de les oublier, chérie! suggère son mari. Ils sont tout à fait inoffensifs!

Mais elle continue de ronchonner :

— On n'a plus d'intimité dans cette maison!

Gilles ne peut s'empêcher de sourire. Au cours des deux jours précédents, les oiseaux-fantômes ont envahi la maison entière. Ils apparaissent et disparaissent sans prévenir, tantôt seuls ou à deux, tantôt par dizaines. La plupart d'entre eux semblent préférer la chambre de Gilles. Mais souvent, un cacatoès ou une perruche d'Australie fait irruption et va se percher sur le téléviseur du salon ou sur un porte-serviettes dans la salle de bains.

Visiblement, le grand perroquet s'est pris d'affection pour la mère de Gilles : il vient régulièrement s'installer sur son épaule au cours des repas ou lorsqu'elle va et vient dans la maison.

— Quelle créature ridicule! murmure-t-elle en essayant de le chasser en vain. Cette maudite bestiole ne veut pas me laisser tranquille!

La mère de Gilles prend très mal cette invasion de fantômes. Gilles sait que ce n'est pas facile, pour une mathématicienne, d'admettre leur existence. Mais s'ils viennent en plus lui picorer le lobe des oreilles!

— Il ne faut en parler à personne! a-t-elle ordonné. Je serais la risée du département de mathématiques. Des fantômes d'oiseaux, ah, ah!

— Même pas à tante Lilianne? a demandé Gilles. Elle trouverait ça palpitant!

— Surtout pas! Elle le dirait à tous les gens qu'elle connaît. Elle contacterait les journaux. Ça passerait au téléjournal de dix-huit heures! Non, c'est impossible! Il faut garder ça pour nous!

Gilles, lui, s'habitue progressivement à la présence des oiseaux-fantômes. En fait, elles sont plutôt belles, ces créatures lisses et argentées qui brillent d'une lumière mystérieuse. Au bout de quelques jours, il découvre qu'on peut les faire disparaître en leur soufflant dessus. Les oiseaux vacillent comme la flamme d'une bougie, puis ils s'évanouissent. Pendant un court instant seulement, car ils réapparaissent quelques minutes plus tard.

Gilles n'y prête même pas attention, sauf quand ils remplissent sa chambre telle une gigantesque volière, en se mettant à gazouiller, à crier ou à battre des ailes. La nuit, il met des bouchons d'oreilles afin que leur cacophonie ne le réveille pas.

— Quand allons-nous être débarrassés de ces créatures? hurle sa mère, un soir à table, tout en soufflant sur chaque oiseau qu'elle voit passer.

— Tina et Kevin sont en train de mettre quelque chose au point! déclare Gilles.

— N'oublie pas que ce sont des génies! lui rappelle M. Barnes.

— Des génies! Pfft! reprend Mme Barnes. J'espère seulement qu'ils vont s'arranger pour chasser ces oiseaux de la maison avant que je devienne folle!

Ce soir-là, assis sur son lit, Gilles essaie de lire. Un pinson vole jusqu'à lui et se perche sur son livre. Gilles le fait disparaître en lui soufflant dessus. Il reprend sa lecture, mais une hirondelle d'Afrique fonce sur lui à tire-d'aile.

— Allô! fait le perroquet, qui a brusquement

décidé de faire une apparition.

Gilles pose son livre en soupirant. Une fois de plus, sa chambre est envahie. D'où viennent-ils donc? Il espère que Tina et Kevin vont vite concocter une solution, car cette situation devient insupportable.

Tout à coup, Gilles prend conscience d'une autre présence dans la chambre.

Ce n'est pas un oiseau, cette fois. C'est une personne.

Dans le coin le plus éloigné de la pièce se tient une femme âgée. Irréelle, évidemment. Tout comme les oiseaux, elle n'est que lumière et électricité crépitante.

Gilles, figé dans son lit, la regarde. La vision d'un fantôme humain est plus effrayante que celle des oiseaux-fantômes. Il sent ses cheveux se dresser sur sa tête. Est-ce la folle dont Kevin a parlé?

Mais la vieille femme ne paraît pas le voir. Elle se déplace lentement à travers la pièce, ou plutôt, elle glisse d'un oiseau à l'autre et les caresse en les observant avec inquiétude. Elle a l'air si bouleversée que Gilles se sent affligé lui aussi.

Au bout de quelques minutes, elle se retourne et regarde Gilles bien en face. Il en a des frissons. Que va-t-elle faire, maintenant? Toutes sortes d'images

horribles défilent devant ses yeux. Mais la femme-fantôme hoche simplement la tête avec tristesse. Elle a l'air gentille. Son visage est très ridé, et ses cheveux argentés sont réunis en un chignon au sommet de sa tête.

Elle lève une main diaphane et scintillante en direction du plafond. Puis, après avoir regardé les oiseaux une dernière fois, elle s'efface lentement, jusqu'à n'être plus qu'une vague lueur flottant un instant dans l'air avant de s'évanouir.

« D'abord des fantômes d'oiseaux, ensuite un fantôme de femme! pense Gilles. Qu'est-ce que cela peut bien signifier? »

Chapitre 7

Le grenier

— Tu veux dire qu'il y a un autre fantôme, maintenant? s'exclame Kevin. Ils vont finir par se bousculer!

— Je n'en ai pas parlé à maman, explique Gilles. Elle est déjà assez agacée par les oiseaux. Ce qui est bizarre, c'est qu'ils l'aiment bien, eux. L'autre jour, une perruche s'est même installée sur sa tête. Ça l'a rendue furieuse. Alors, si je lui dis qu'il y a un fantôme de vieille femme qui rôde, elle va finir par craquer!

— Je parie que c'est la femme dont tout le monde parle! s'exclame Kevin, enthousiaste. Est-ce que tu as eu l'impression qu'elle était folle?

— Non, pas du tout, répond Gilles. Elle avait plutôt l'air triste.

— Ah bon, fait Kevin, déçu.

L'atelier de Tina et de son frère est bourré de vieux meubles et de pièces détachées. Gilles, qui cherche un endroit où s'asseoir, finit par s'installer sur une boîte renversée.

— Papa et moi, on a appelé tante Lilianne sans en parler à maman, raconte-t-il aux Quark. Tante Lilianne dit que les fantômes sont des gens qui ont été bouleversés ou très malheureux au moment de leur mort, et qui le restent très longtemps après. Alors, ils se mettent à errer tristement en essayant de comprendre ce qui s'est passé.

— Mais qu'est-ce qu'elle a dit au sujet de tous ces oiseaux? demande Kevin. On n'a jamais entendu parler d'oiseaux tristes!

— Oui, c'est bizarre, répond Gilles. Mais une chose est sûre, la vieille dame est malheureuse. Je pense que ça a un rapport avec tous ces oiseaux. Ils étaient sans doute à elle... Écoutez-moi bien. Vous vous rappelez quand je vous ai dit qu'elle montrait le plafond? Eh bien, après en avoir parlé à papa, j'ai réfléchi à tout ça. Et j'ai pensé qu'elle désignait peut-être le grenier.

— Le grenier! s'exclame Kevin. Je comprends tout, maintenant! Tu y es déjà allé?

— Je ne savais même pas qu'il y en avait un, répond Gilles en hochant la tête. Mais papa et moi, on a trouvé une trappe dans le plafond. On l'a tirée et un petit escalier s'est déployé. On est montés avec des lampes de poche. C'était plein de poussière! Papa n'arrêtait pas d'éternuer. Il y avait des centaines de vieilles cages à oiseaux vides!

— Des centaines, Gilles? dit Tina. Tu exagères peut-être un peu!

Gilles lève les yeux au ciel.

— D'accord, je ne les ai pas comptées, mais il y en avait vraiment beaucoup... Je ne sais pas qui était cette femme, mais elle avait sûrement des tas d'oiseaux apprivoisés.

— Quelle histoire! fait Kevin.

— Mon père a téléphoné à des voisins, mais ils ne se souviennent pas des locataires précédents. La plupart des gens auxquels il a parlé ne vivent pas là depuis très longtemps. J'aimerais bien savoir ce qui s'est passé.

— Bon, dit Tina en levant les yeux d'un nouveau gadget qu'elle est en train de tripoter, je crois qu'on peut faire un essai avec ça.

— Qu'est-ce que c'est? demande Gilles.

— C'est super! s'exclame Kevin. Elle a démonté presque tous les appareils de la maison pour le fabriquer : la radio, le téléviseur, le mélangeur... Elle est géniale!

— Kevin! dit Tina.

— Je sais, je sais, soupire son frère, je dois me taire!

— Exact! Bon, ce que je viens de mettre au point, c'est un appareil qui, je l'espère, va faire disparaître les fantômes pour de bon. Maintenant, reculez, s'il vous plaît!

Elle abaisse d'un geste un petit interrupteur qui se trouve sur un des côtés de l'engin. Il y a une vibration sourde, suivie d'un crachotement, puis un grand panache de fumée jaune et noir s'élève en spirale dans l'air.

— Eh bien, dit Tina, ce n'est pas vraiment une réussite...

— Tina! Kevin! appelle une voix du haut des escaliers. Qu'est-ce qui se passe en bas?

— Rien, maman! répond Tina.

— Ne t'inquiète pas! dit Kevin à Gilles en éloignant la fumée de son visage. Nous y arriverons! Tu n'es pas condamné à vivre avec des fantômes pour le restant de tes jours!

— On devrait peut-être essayer d'en savoir plus sur la dame qui vivait là, suggère Gilles. Je crois que ça nous aiderait.

Tina a l'air sceptique,

— Ça ne me paraît pas très scientifique, déclare-t-elle.

— Mais c'est un vrai mystère! dit Gilles.

Il a dû se passer quelque chose d'affreux, mais quoi? Si Gilles le savait, il arriverait sûrement à libérer la maison de tous ces fantômes!

Chapitre 8

Mélanie Jones

QUAND IL REVIENT de chez les Quark, Gilles croise un vieil homme qui descend la rue en s'appuyant lourdement sur sa marchette. Il l'a déjà vu plusieurs fois : chaque jour, à quatre heures de l'après-midi, le vieillard descend lentement la rue. Puis il fait demi-tour et la remonte. Cela lui prend environ quarante-cinq minutes. Mais ce soir-là, il s'arrête devant la maison de Gilles.

— Bonjour! dit celui-ci en s'approchant du vieil homme. Est-ce que je peux vous aider?

Il a d'abord cru que le vieil homme se sentait mal. Mais quand il est près de lui, Gilles voit qu'il observe la maison, tout particulièrement la fenêtre de sa chambre.

— Bonjour! répond l'homme tout en continuant

à regarder la fenêtre de Gilles. C'est idiot, n'est-ce pas? poursuit-il. Je m'attends toujours à voir des oiseaux là-dedans.

Gilles sent son cœur battre plus fort.

— Que voulez-vous dire?

— Elle avait des tas d'oiseaux, Mélanie. Elle en avait tant qu'elle ne savait plus quoi en faire. Elle les gardait presque tous dans cette pièce, là-haut. J'avais l'habitude de les voir quand je me promenais.

— Est-ce que vous la connaissiez? demande Gilles, plein d'espoir.

— À peine, répond le vieil homme. Personne ne la connaissait vraiment. Elle ne mettait presque jamais le nez dehors. Remarquez, tout le monde pensait qu'elle était un peu folle d'avoir tous ces oiseaux. Pauvre Mélanie Jones! C'est honteux, ce qui est arrivé. Je ne l'ai su que des années après.

Gilles attend patiemment la suite.

— Le cœur, reprend le vieil homme. Mélanie était malade du cœur. Je crois qu'on voulait la mettre dans une maison de retraite, mais, pour elle, il n'en était pas question! Elle n'aurait pas pu continuer à s'occuper de ses oiseaux. Une nuit, elle a eu une crise cardiaque. On l'a emmenée à l'hôpital, mais elle ne s'est jamais réveillée. Et il n'y avait personne pour donner à manger aux oiseaux.

Ils sont tous morts de faim avant que quelqu'un ne pense à aller les voir. Pauvres bêtes! C'est triste, très triste.

— Oh, dit doucement Gilles.

Soudain, il y a un déclic dans sa tête : le fantôme qu'il a vu est donc celui de Mélanie Jones qui revient pour soigner ses pauvres oiseaux morts de faim!

— Je viens de voir le fantôme d'une femme âgée traverser la salle de bain! dit Mme Barnes, très pâle, au moment où Gilles arrive dans la maison en courant.

— C'est le fantôme de Mélanie Jones! s'écrie Gilles, tout excité. C'est la femme qui vivait ici avant nous avec ses oiseaux!

— Oh! murmure Mme Barnes sans un battement de cils.

— Comment as-tu découvert ça? veut savoir M. Barnes.

— C'est un vieux monsieur qui me l'a dit.

Et Gilles raconte l'histoire de la vieille femme.

— Bon, tout ça, c'est bien, s'écrie Mme Barnes qui se remet tout juste de ses émotions. Mais trop, c'est trop! Cette fois, c'est la goutte qui fait déborder le vase! Je m'apprêtais à prendre un bon bain chaud, en espérant que ni perruche ni geai ne feraient leur apparition... quand le fantôme de

Mélanie Jones est venu faire son numéro!

— C'est terrible! dit M. Barnes en essayant d'étouffer son envie de rire.

— Il faudrait des lois pour éviter ce genre de choses! marmonne Mme Barnes. Un décret contre les fantômes en tout genre violant l'intimité des gens.

Le perroquet qui a un faible pour elle choisit ce moment pour s'installer sur son épaule et frotter affectueusement son bec contre son oreille en murmurant :

— Allô! allô!

Gilles fait de l'air en agitant la main.

— Aakkk, fait le perroquet en disparaissant.

— Eh bien, ma chérie, dit M. Barnes, je dois reconnaître que cela devient presque insupportable. Où en sont les génies Quark? Ont-ils mis quelque chose au point?

— Pas encore, répond Gilles. Le dernier engin que Tina a inventé a disparu dans un nuage de fumée.

Cependant, il ne confie pas à ses parents qu'il a sa petite idée. Il ne veut pas en parler tout de suite. Après tout, il n'est pas un génie! Il faut qu'il prenne le temps d'y penser. Mais ce serait peut-être la solution à leur problème!

Chapitre 9

Le plan de Gilles

— J'AI UN PLAN! annonce Gilles le jour suivant.

Tina et Kevin sont accourus à sa demande. Tout le monde est installé autour de la table de la salle à manger. Le perroquet est là aussi, ainsi qu'un escadron de perruches qui font cercle autour de la tête de Mme Barnes et la bombardent de fiente d'oiseaux-fantômes.

Gilles prend une profonde inspiration.

— Les fantômes hantent les maisons pour essayer de trouver une solution à un problème qui s'est posé avant qu'ils meurent. Bien sûr, c'est impossible, mais ils ne peuvent trouver la paix que lorsque le problème est réglé.

— Qui t'a raconté ça? demande Mme Barnes.

— Tante Lilianne, reconnaît Gilles.

— Je ne t'écoute plus! Je ne crois pas un mot de ce que dit tante Lilianne, réplique Mme Barnes.

— C'est ce que tu disais avant de voir un perroquet-fantôme sur ton épaule, lui rappelle son mari. Il n'y a pas de mal à écouter, Élisabeth. Continue, Gilles.

— Voilà! Mélanie Jones doit s'inquiéter pour ses oiseaux qu'elle aimait par-dessus tout. Elle en avait des douzaines. Mais quand elle est morte, personne n'a pensé à les nourrir. Ils sont donc morts de faim.

Il se tait et regarde autour de lui. Tina le fixe d'un air grave. Gilles reprend :

— Si nous nourrissons les oiseaux-fantômes, Mélanie Jones ne s'inquiétera peut-être plus. Et alors, tous les fantômes partiront pour de bon!

Il y a un long silence.

— Gilles, dit Tina, est-ce que tu te rends compte que ce n'est pas scientifique du tout?

— Euh... bégaie-t-il.

— Ces oiseaux ne sont pas réels, reprend Tina. Ce sont des fantômes. Comment pourraient-ils manger quoi que ce soit?

— Écoute, dit Gilles, ça semble idiot, mais au fond, c'est logique. Je sais qu'on ne peut rien changer à ce qui est arrivé. Mais si nous nous occupons des oiseaux, peut-être que Mélanie Jones cessera d'être malheureuse et qu'ils s'en iront tous.

Est-ce que tu as une meilleure idée?

Il y a un autre long silence.

— Non, répond enfin Tina. Ma dernière invention est partie en fumée, et je ne pense pas faire mieux avant longtemps. Maman et papa ont tout découvert au sujet de la radio et du téléviseur...

— Et du mélangeur, et de la poêle à frire... ajoute Kevin. Oh! et n'oublie pas l'*Encyclopédie Universalis*! Ils n'ont pas aimé ça non plus...

— Oui, ç'a été assez désastreux, c'est vrai! dit Tina en croisant ses petites mains sur la table. Il vaut mieux interrompre nos activités de génies pendant un moment...

— Bon, reprend Gilles. Nous n'avons pas le choix. Il ne reste plus que mon idée.

— D'accord, dit Tina.

— Je dois être devenue folle, mais je suis prête à essayer n'importe quoi, marmonne Mme Barnes en jetant un regard furieux au perroquet installé sur son épaule. On commence tout de suite!

Chapitre 10

Le festin

— NOUS VOUDRIONS trente kilos de vos meilleures graines pour oiseaux! annonce Gilles.

— Trente kilos! répète le vendeur d'aliments pour animaux en regardant Gilles comme s'il était en train de lui faire une énorme blague. C'est une quantité inhabituelle. En général, nous vendons des boîtes un peu plus petites!

— Non, ce ne serait pas suffisant! dit Tina Quark très sérieusement. J'ai calculé, c'est exactement ce qu'il nous faut!

— Ah bon! répond le vendeur, ahuri.

— On va prendre aussi quelques friandises! ajoute Kevin avec enthousiasme. Ils vont aimer ça!

— Kevin... intervient Tina.

— C'est une bonne idée! renchérit Gilles en

l'interrompant. Nous aimerions aussi vingt paquets de friandises, s'il vous plaît!

— Vous devez avoir beaucoup d'oiseaux très affamés, fait remarquer le vendeur nerveusement.

— Ou un seul très gros! répond Gilles en souriant.

— Euh... bien sûr, dit le vendeur en se dépêchant de préparer la commande.

Les parents de Gilles attendent dans la voiture.

— J'espère que personne ne nous a vus, murmure Mme Barnes quand ils démarrent. Les gens croiraient que nous sommes devenus fous à lier! Trente kilos de graines pour oiseaux...

Dès qu'ils arrivent à la maison, Gilles organise le grand repas. Avec l'aide de Tina et Kevin, il descend toutes les cages du grenier. Ils commencent par les épousseter et les nettoyer. Ils frottent les barreaux de métal jusqu'à ce qu'ils brillent, puis s'assurent que les perchoirs sont bien attachés. Ils posent même du papier journal au fond de la cage.

— Ce ne sont que des fantômes... murmure Mme Barnes. Est-ce que vous n'exagérez pas un peu?

— On doit faire tout ce qu'on peut pour leur montrer qu'on est désolés de ce qui leur est arrivé, explique Gilles.

— Je ne peux pas croire que je suis en train de

faire ça! s'exclame Tina. Ce n'est absolument pas scientifique!

— Ne t'inquiète pas! la rassure Kevin. Ça va peut-être marcher.

Quand toutes les cages sont propres, les enfants entreprennent de vider les énormes sacs de graines dans les mangeoires en plastique. Ils remplissent les bouteilles au robinet de la cuisine. Et, pour faire bonne mesure, ils accrochent des friandises aux barreaux de chaque cage.

Gilles a préparé un festin comme on n'en a jamais vu au royaume des oiseaux!

— Maintenant, on va monter toutes les cages dans ma chambre, déclare Gilles. C'est là que Mélanie Jones les gardait.

Il leur faut une bonne demi-heure. Quand ils ont terminé, la chambre de Gilles est complètement remplie de cages. Elles s'entassent sur chaque étagère, sur le bureau, sur le bord des fenêtres; certaines sont posées sur des supports, côte à côte; d'autres, par terre et même sur le lit.

— Si ça marche, dit Mme Barnes, je ne veux plus voir un oiseau de ma vie!

Tout à coup, un oiseau-fantôme apparaît à l'intérieur d'une des cages. Posé sur le perchoir, il regarde Gilles, puis remarque les graines. Il sautille vers la mangeoire et commence à picorer.

— Ça y est! s'exclame Gilles.

Très vite, une foule d'oiseaux apparaît. Tout se passe si rapidement que Gilles ne parvient pas à les suivre du regard. Ils s'installent dans toutes les cages, parfois à plusieurs dans la même. Ils avalent les graines avec voracité, aspirent l'eau bruyamment et picorent les friandises.

— Ils mangent tout! s'écrie Gilles.

Pourtant, manger n'est pas le mot exact. Les oiseaux n'arrêtent pas de picorer, mais les amoncellements de nourriture ne diminuent pas. Cela ne semble pas les déranger. Gilles a fini par perdre la notion du temps au fur et à mesure que se déroule le festin. Mais bientôt, un par un, les oiseaux disparaissent. D'abord, une perruche s'évanouit dans l'air. Puis un cacatoès. Ensuite, trois chardonnerets s'évaporent dans un petit nuage de fumée.

— On a réussi! s'exclame Gilles.

— J'aurais dû apporter mon détecteur de fantômes, dit Tina.

— Nous n'en avons pas besoin, lui répond Gilles. Tu ne vois pas que ça marche?

De plus en plus vite maintenant, les oiseaux disparaissent en clignotant comme des ampoules électriques sur le point de griller. Tandis qu'il observe la scène, Gilles sent un drôle de picotement

monter le long de sa colonne vertébrale. Il regarde
par-dessus son épaule : Mélanie Jones vient
d'apparaître au milieu des cages.

— Regardez! murmure Gilles en la désignant
du doigt.

— C'est elle qui a interrompu mon bain!
marmonne Mme Barnes.

Le fantôme de Mélanie Jones n'a plus du tout
l'air triste! Au contraire, la femme sourit en
inclinant la tête devant le spectacle des oiseaux
qui prennent le meilleur et le plus abondant repas
qui leur ait jamais été donné. Puis le fantôme de
Mélanie Jones s'efface lentement, léger et argenté,
jusqu'à ce qu'il ne reste plus rien. Ensuite, les
derniers oiseaux-fantômes disparaissent en faisant
de petites bulles de lumière, et toutes les cages sont
bientôt vides.

— Tu es un vrai génie! déclare Kevin à Gilles.
Tu y es arrivé!

— Ce n'était pas du tout scientifique! fait
remarquer Tina d'une voix mal assurée. Et pourtant,
ç'a été un succès.

— Pas tout à fait! rétorque Mme Barnes d'une
voix sévère. Regardez ça!

Le perroquet est perché sur son épaule.

— Allô! Allô! lance-t-il.

— Non, regarde, il disparaît aussi, dit Gilles.

— Au revoir! Au revoir! dit le perroquet.

Et il s'évanouit dans un petit éclat de lumière.

— Quel soulagement! s'exclame Mme Barnes.

— Il t'allait bien, ce perroquet, ma chérie! dit M. Barnes en serrant sa femme dans ses bras.

— Voilà, ils sont tous partis, maintenant! constate Gilles en regardant les cages vides.

Bizarrement, la maison semble trop calme tout à coup. Gilles a un petit pincement au cœur. Sans s'en rendre compte, il s'était attaché aux oiseaux, aux bruits qu'ils faisaient, à leur va-et-vient. Les fantômes l'occupaient tellement qu'il n'a même pas eu le temps de penser à ses anciens amis. De toute façon, il s'en est fait de nouveaux. L'été ne sera peut-être pas si désagréable, après tout.

— Qu'allons-nous faire de toutes ces graines? demande M. Barnes.

— Et des cages? poursuit Mme Barnes.

— On pourrait peut-être prendre quelques oiseaux en pension? suggère Gilles avec un petit sourire malicieux.

Table des matières

Kenneth Oppel n'avait que quinze ans quand son premier livre a été publié. Depuis, il a écrit beaucoup d'ouvrages, dont plusieurs ont obtenu des prix.

Ken habite à Toronto avec sa femme et ses deux enfants.